4 aventures

de SPIROU...

...et FANTASIO

I.S.B.N. 2-8001-0003-6
ISSN 0772-0262

Franquin

4 aventures de SPIROU

...ET FANTASIO

DUPUIS

SPIROU

ET LES PLANS DU ROBOT

SPIROU ! JE CROIS QU'ILS ONT ABANDONNÉ LA POURSUITE !...

CE N'EST RIEN ! ILS VONT AVOIR TOUS MES HOMMES À LEURS TROUSSES !.... STOPPE ICI, COLIBRI.

......TU AS NOTÉ LEUR SIGNALEMENT ?... BON...TRANSMETS À TOUS LES COPAINS... AUSSITÔT REPÉRÉS, QU'ON NE LES LÂCHE PLUS D'UNE SEMELLE ! IL ME FAUT LEUR ADRESSE CE SOIR MÊME !

PLUS TARD, CHEZ SPIROU...

DONNE-MOI LES PLANS, VIEUX...

...TOUT DE MÊME DOMMAGE DE DÉTRUIRE ÇA !....

...PRUDENCE !

..OUI, PATRON, NOUS AVONS L'ADRESSE DU PETIT EN ROUGE... UN CERTAIN SPIROU. ....NON, ILS Y SONT.... OUI, ENTENDU.

DÉCIDONS-NOUS ! QU'ALLONS-NOUS VOIR ?

QUE JOUE-T-ON À L'A.B.C. ?

ATTENDS ...AH, ICI !

ÇA VA....JE PEUX Y ALLER...TOI, TU LES SUIS...

D'AC...

HOLA ! VOICI MON BUS ! 'SOIR, VIEUX !

COURS VITE !

TONNERRE ! ON A FOUILLÉ CHEZ MOI ! ..CERTAINEMENT POUR CES PLANS !

...PUISQUE LA FOUILLE N'A RIEN DONNÉ, ILS DOIVENT AVOIR CACHÉ LES PLANS AILLEURS... NOUS ALLONS.....

....DEMAIN, LE PROCHAIN BOULOT SERA POUR TOI, PETIT..

ENCHANTÉ !

LE LENDEMAIN MATIN

LIVRES JOURNAUX

HE!HE! MONSIEUR SPIROU! C'EST CONFORTABLE?

VOUS ÊTES ICI POUR ME DIRE OÙ SONT CACHÉS LES PLANS DU ROBOT DU PROF° SAMOVAR...

IMPOSSIBLE! CES PLANS, JE LES AI BRÛLÉS POUR QUE CETTE MACHINE NE PUISSE SERVIR À DES BANDITS DE VOTRE SORTE POUR VOLER, PILLER OU FAIRE LA GUERRE!...

MAIS!..MAIS!...JEUNE IDIOT!.... C'EST STUPIDE!..AVEC CE ROBOT, J'ÉTAIS LE MAÎTRE DU MONDE ENTIER!..IDIOT!...

PATRON...ET S'IL MENTAIT....

NON, JE VOIS BIEN QU'IL DIT VRAI, LE DIABLE!.....

COLIBRI, SORS LA VOITURE ET COUVRE-LA...NOUS ALLONS NOUS DÉBARRASSER DE CE JEUNE SINGE...

OUI, PATRON!...

APRÈS 1 H°° DE DÉTOURS....

VOUS VOUS EN TIREZ À BON COMPTE, M° SPIROU...TOUS CEUX QUI SE SONT MÊLÉS DE MES AFFAIRES N'ONT PAS EU VOTRE CHANCE.....

...MAIS QUE JE NE VOUS TROUVE PLUS SUR MON CHEMIN, OU IL VOUS EN CUIRA!

MAD

CA, C'EST UN PETIT SOUVENIR SIGNÉ "COLIBRI"

VVVRP VRRRVBRRRRRL...

JE COMMENCE À M'ESSOUFFLER ! IL VA M'AVOIR !!!

MAIS... **OH!**

ENFIN QUELQU'UN... POUR ME DÉLIER ! IL ÉTAIT TEMPS... C'EST À DEVENIR FOU !

PARDON, MONSIEUR, PUIS-JE VOUS DEMANDER DE...

CHHT ! TAISEZ-VOUS, NOM DE NOM !...

MONSIEUR, VOUDRIEZ-VOUS BIEN...

..MAIS JE VOUS DIS DE VOUS TAIRE, MILLE MILLIONS !

CHHHHTT....

WOUAAA!

MILLE EXCUSES... MAIS SI VOUS NE ME DÉLIEZ PAS ILLICO, JE DEVIENS ENRAGÉ !

QUE.. QUE VOUS EST-IL ARRIVÉ ? EST-CE PRUDENT DE LE DÉLIER ?

MERCI, MON VIEUX ! TRA LA LA! C'EST MERVEILLEUX D'AVOIR DES BRAS !

MAIS...QUELQUE CHOSE QUI NE VA PAS ?

BEN... C'ÉTAIT LUI, LE VIEUX JOSEPH... J'AI RECONNU SA FAÇON DE MORDRE ....VOUS ME L'AVEZ FAIT RATER.... LE VIEUX JOSEPH ....

PENSEZ DONC, MONSIEUR, UN BROCHET COMME ÇA...UN VIEUX RUSÉ! CINQ ANS, MONSIEUR, CINQ ANS QUE J'ESSAIE DE LE PRENDRE! JE NE VOUS MENS PAS......

JE SUIS TERRIBLEMENT DÉSOLÉ, MON VIEUX... MAIS SI VOUS VOULEZ ME SUIVRE, J'AI UN CADEAU POUR RÉPARER UN PEU ÇA....

GUSTAVE? IL EST ENCORE A LA PÊCHE... MAIS IL NE RAPPORTE JAMAIS RIEN, MON PAUV'VIEUX, HA! HA!

RENTRONS VITE, IL FAUT RETROUVER CES BANDITS AU PLUS TÔT!

...À TA PLACE, VIEUX, JE SERAIS BIEN PRUDENT, ET JE NE M'OCCUP...

OH!

LE LENDEMAIN

13

Franquin 48

LIS ÇA ...ICI!..

QUE SE PASSE-T-IL ENCORE?....

Un fou qui revient de loin.

11 AVRIL

ON SE RAPPELLE LA CHUTE TERRIBLE QUE FIT LE SAVANT FOU DE GRASSEBIQUE AU TER-ME D'UNE EXPÉRIENCE INSENSÉE EN AÉROSTAT LE 12 DÉCEMBRE DERNIER. SOIGNÉ DANS UNE CLINIQUE LOCALE, IL SE RÉTABLIT PARFAITEMENT. ON VIENT DE LE TRANSFÉRER À L'HÔPITAL St EUSTACHE, OU L'ON CONSTATE PETIT À PETIT LE MÉDECINS RECOUVRE LA MÉMOIRE...

EH BIEN!..TANT MIEUX, TANT MIEUX!...

OUI, MAIS IL RECOUVRE LA MÉMOIRE! IL FAUT SE PRÉCIPITER À L'HÔPITAL ET....

...PRÉVENIR LE DIRECTEUR... ILS POURRAIENT L'ENLEVER...VIENS...

HÉ! ATTENDS

...LAISSE TOMBER ÇA, SPIROU! TU NE T'EN TIRERAS PAS DEUX FOIS AVEC UN SPARADRAP SUR LA FIGURE!

STOP! ILS SONT DÉJA LÀ!

...S ROYAL

BIÈRES ROYAL BIÈR EN

APÉRITIF MARTOSI AU VIN

AU BON COIN

HÔPITAL St EUSTACHE

FANTASIO! PRENDS TES JAMBES À TON COU ET VA PRÉVENIR LA POLICE! MOI, J'ESSAIE DE LES SUIVRE SI VOUS ARRIVEZ TROP TARD.....

...VOUS SURTOUT, LÀ! BOUGEZ PAS, HEIN!

15

AH! VOICI LE GARAGE. NOUS ALLONS LEUR EMPRUNTER LA VOITURE..

PLUS VITE ADJUDANT! SPIROU EST PEUT-ÊTRE EN DANGER!

ET MAINTENANT PLEINS GAZ À LA POLICE!

BOUF

...ENCHANTÉ, M. SPIROU.....ET DÉSOLÉ... LE RÈGLEMENT M'OBLIGE À VOUS DRESSER PROCÈS-VERBAL POUR EXCÈS DE VITESSE.

ADJUDANT! IL Y A LÀ DEUX TYPES QUI SORTAIENT DU PARC, ET QUI FILENT PARCE QU'ILS NOUS ONT VUS!...

LES BANDITS!

BONNE CHANCE!

EN AVANT!

MOI?OH! APRÈS CE COUP-LÀ, JE DOIS ÊTRE DÉFINITIVEMENT CINGLÉ! HA!HA!HA! HA! HA!

VENEZ, SAMOVAR! NOUS ALLONS VOUS RECONDUIRE À L'HÔPITAL!

C'EST ÇA! ET MOI, JE VAIS VOUS CONFIER UN SECRET!

...MESSIEURS, JE PRÉPARE PLUSIEURS INVENTIONS QUI VONT CHANGER LA FACE DU MONDE!

...VOICI D'ABORD LA TRAPPE-À-SOURIS-QUI-NE-PINCE-PAS-LES-DOIGTS-QUAND-ON-LA-TEND....

...LE PARAPLUIE-PARATONNERRE...LA FAUSSE-DENT-BRIQUET ET LE DÉTECTEUR DE CIGARES À PÉTARDS....

ALLONS, SAMOVAR... RENTRONS VITE, IL SE FAIT TARD.....

CE SOIR-LÀ

...AH! LES BANDITS SONT PINCÉS! FÉLICITATIONS!.....

FIN

VOICI LA THÉORIE....

BOXE, LA BOXE ; DE LA BOXE ; TRAITÉ DE BOXE ; PRATIQUE DE LA BOXE ; HISTOIRE DE LA BOXE ; LA BOXE POUR TOUS ; LA BOXE SANS PEINE ; LA BOXE EN DIX LEÇONS ; LA BOXE MODERNE ; LA BOXE, CETTE INCONNUE ; L'ART DE LA BOXE ; INITIATION À LA BOXE....

AU LIT, SPIROU ! DEMAIN, PREMIER JOUR JE TE RÉVEIL-- D'ENTRAÎNEMENT! --LE À 6 Hres!

!

HELLO ! FANTASIO ! IL EST 6 Hres !

MMM....

LA JOURNÉE DU BOXEUR COMMENCE PAR LE LEVER...BON ! ENSUITE, LES ABLUTIONS....

FOOTING ÉNERGIQUE !

CLOP CLOP

CLOP

...BOXER EN MARCHANT.. UN PEU DE VIGUEUR !

...QUELQUES POINTES DE SPRINT ! ALLONS ! NE TRAÎNONS PAS !...

...REPRENONS LE FOOTING ÉNERGIQUE...UNE...DEUX...UNE...

21

...PRESSONS LE PAS ET PASSONS AUX EXERCICES RESPIRATOIRES....

ZUT !...UN PEU DE REPOS ! JE SUIS VIDÉ !

SPIROU ! MILLE TONNERRES ! TU T'IMAGINES QUE C'EST EN ROUPILLANT DANS L'HERBE QUE TU APPRENDRAS À BOXER ?!? ALLEZ ! DEBOUT ! FIXE ! EN AVANT !

CRUEL ANIMAL !

POUR S'ASSOUPLIR LES ÉPAULES, LE BOXEUR LANCERA DES PIERRES AU LOIN, AVEC FORCE...

BIEN !

POP

MORDS-LES !

ARRRF

ARRRF

C'EST... C'EST LE MOMENT... DE REPRENDRE ...UNE POINTE DE SPRINT ....

VOUS AVEZ ENTENDU PARLER DU MATCH DE BOXE SPIROU-POILDUR ? QU'EST-CE QUE VOUS EN PENSEZ, DITES ?

ÉCOUTE, P'TIT MAURICE !.. J'AI VU POILDUR ROSSER UN TYPE DE LA COUR DES GRANDS ...EH BIEN! MON VIEUX ... JE NE DONNE PAS CHER DE LA PEAU DE SPIROU !

ALORS ? ON PARIE !? .. ON PARIE ?!...

200 LIGNES À TOUS POUR VOUS APPRENDRE À ENTENDRE LA CLOCHE....

CECI TE SERT À SENTIR LA FORCE DE TON PUNCH...

LA VICTOIRE SE FORGE À L'ENTRAÎNEMENT

PAF

... 501 ... 502 ... 503 ...

LE DIRECT DU GAUCHE SERA SEC, RAPIDE ET À RÉPÉTITION ! C'EST ÇA ! BRAVO !

BOUM BOUM BOUM BOUM BOUM

PASSONS AUX MASSUES ...LEUR FONCTION EST D'ASSOU-PLIR ET DE FORTIFIER LES POIGNETS.....

?!

HÉ ! PAS COMME ÇA !

POC POC POC

ALLONS, SAPRISTI ! PLUS VITE ! TU AS PEUR DE TE FATIGUER ?

LA SEMAINE SUIVANTE

HÉ ! POILDUR ! TU FAIS PRENDRE L'AIR À TA MASCOTTE ?

DIS DONC, POILDUR ...TU T'ENTRAÎNES POUR TON MATCH CONTRE SPIROU ?

PFFT ! JE SUIS EN FORME, MON P'TIT !

SEULEMENT, Y A UNE CHOSE QUE JE VOUDRAIS SAVOIR : C'EST CE QUE SPIROU FAIT POUR S'ENTRAÎNER ....ALORS , DÉBROUILLE-TOI POUR LE SAVOIR! ...ET AU GALOP !

OUI, POILDUR...

EH BIEN ? C'EST POUR DEMAIN ? GROUILLE, NOURRISSON ! JE DOIS VOIR PLUSIEURS CLIENTS AUJOURD'HUI !

OUI ! JE COMPRENDS ! TU NE L'AS PAS, ET TU VEUX ME FAIRE CROIRE QUE TU L'AS PERDUE, HEIN !

C'EST BON, DISPARAIS. ET QUE CETTE PHOTO RESTE PROPRE !

METS BIEN AU POINT CE DOUBLÉ GAUCHE-DROIT ! SPIROU ! C'EST TRÈS IMPORTANT.

STOP ! 'TENTION LA PORTE !

PAF

PAF

SPIROU... TU ES LÀ ?

CLAP

PARDONNE-MOI, P'TIT MAURICE ! C'EST LE PUNCHING-BALL QUI EST MAL PLACÉ...

SAIS-TU CE QUI SE PASSE AVEC POILDUR ?... REGARDE CECI ! FIGURE-TOI QUE CE BANDIT...

Franquin 48

26

TU NE SAIS PAS CE QU'ON POURRAIT FAIRE POUR QUE ÇA CESSE, DIS, SPIROU ?

SI ! J'AI UNE IDÉE... VOUS ALLEZ...

2 JOURS PLUS TARD

À NOTRE TOUR DE NOUS ENTRAÎNER ! HA-HA !

BIEN VISÉ !

TOC TOC

ON DEVIENT FORTS !

DEUX ROSES !

TOC

UN SOURIRE ÉCLATANT

AVEC DENTIFRICE GNAGNA

DUBO L'APÉR...

ÉPATANT, LES PROGRÈS QU'ON FAIT !

QUE POILDUR NE MONTRE PAS SA VILAINE TRUFFE...

ON EST AU POINT

AVE DE G

HÉHÉ ! LES AFFAIRES MARCHENT !... ...N'ESSAYE PAS DE ME ROULER... IL Y AVAIT 40 PHOTOS !...

HOLÀ ! VOICI DEUX TYPES DE L'ÉCOLE... JE VAIS VOIR ÇA...

HÉ ! ICI POILDUR ! PASSEPORTS !

MINCE! COMMENT CES JEUNES SINGES-LÀ TIRENT-ILS SI BIEN?!

EXERCEZ-VOUS À TIRER VITE!

VICTOIRE! NOUS L'AVONS EU.... NOUS L'AVONS MIS EN FUITE!...

HOURRA!

...ET NOUS NE L'AVONS PAS RATÉ UNE SEULE FOIS

SI JAMAIS JE LE RENCONTRE...

C'EST LE BON SYSTÈME AVEC CE GANGSTER-LÀ...

JE VAIS RA-CONTER CELA À SPIROU!

BRAVO!
HIP HIP
YIP!!!

HEP! P'TIT MAURICE!... ATTENDS-MOI, JE VAIS DE CE CÔTÉ....

N'OUBLIE PAS TES ARMES, HEIN, NESTOR!

ARRÊTE!.... TU PARIES QUE D'ICI J'AI CE CHAT?!..

NON! NESTOR....

?

NESTOR, SI NOUS AVONS APPRIS À MANIER CES ARMES, C'EST POUR COMBATTRE L'OPPRESSION!...ET NON PAS POUR.... PAS POUR...EUH...

OUI..OUI,OUI!

HELLO, P'TIT MAURICE! TU AS L'AIR BIEN JOYEUX!

TU PARLES! POILDUR A TRINQUÉ! JE VAIS TE RACONTER...

...ALORS, IL A FILÉ, FILÉ COM-ME UN LAPIN!

SURTOUT, NE T'INQUIÈTE PAS, SPIROU, J'IRAI DOUCEMENT.

SPIROU, OBSERVE LA FAÇON DONT JE TIENS MA GARDE BIEN FERMÉE...

SUR LE LAVABO, DANS LA SALLE DE BAIN, L'EAU DE COLOGNE !....

ÇA Y EST, ÇA RECOMMENCE !

JE SUIS OBLIGÉ DE LEUR "FICHE" LA PAIX : S'ILS M'ESQUINTENT UN ŒIL, JE NE SAURAI PAS BOXER..... JE VAIS M'ENTRAÎNER POUR PASSER LE TEMPS

POILDUR, TU ES TOUT À FAIT EN FORME !...SPIROU VA PRENDRE UNE BELLE CORRECTION !...

WAWAW

?
!
HÉ, POILDUR

QU'EST-CE QU'IL TE FAUT ?

JE DÉSIRE VOIR LE RING... ET PUIS IL FAUDRAIT SE METTRE D'ACCORD POUR UN ARBITRE.....

PAR ICI, LE RING

QU'EST-CE QUE CETTE SALE BÊTE QU'IL A LÀ !?/...

FILE, GAMIN ! ON DOIT DISCUTER.

IL EST BIEN, LE RING !

CINÉ

QUESTION DE L'ARBITRE, J'AI UN COPAIN QUI CONNAÎT LES RÈGLEMENTS ET QUI...

AH NON ! RIEN À FAIRE, MON VIEUX ! L'ARBITRE NE PEUT PAS ÊTRE LE COPAIN DE L'UN NI DE L'AUTRE !....

PAS CONFIANCE ?

NON ! C'EST BIEN SIMPLE : JE NE BOXE PAS SI TU CHOISIS L'ARBITRE TOUT SEUL !

VOUS BOXEZ !?... ET VOUS CHERCHEZ UN ARBITRE !..... JE POURRAIS PEUT-ÊTRE .....J'AI BOXÉ COMME PROFESSIONNEL PENDANT 12 ANS, MOI...

D'ACCORD !

SPLENDIDE ! NOM DE NOM ! ÇA VA ME RAPPELER LE BON VIEUX TEMPS ....

CHIC ! C'EST DANS 2 JOURS...

TERRIN DE LA RUE BÉGONIA
Jeudi 12 à 2H
grand match de BOXE
SPIROU contre POILDUR
à 10 à 20
l'entrée 10 f

DÉGUST
CO
RAFRA

POILDUR ATTAQUE D'EMBLÉE.... LE VOICI QUI FONCE ENCORE SUR SON ADVERSAIRE.....QUI L'ÉVI-TE......SPIROU EST TRÈS MOBILE.....MAIS POILDUR REVIENT À L'ATTAQUE.... IL LOUPE UN GAUCHE...

KSS KSS
MORDS-LE

ÇA, MARCHE!/... ...ÇA MARCHE!

...IL BOXE MIEUX QUE LUI !/..... 10 FOIS MIEUX !

SPIROU À L'ATTAQUE !
POP
VAS-Y POILDUR
POILDUUUR

SPIROU RECULE
REGARDEZ ! POILDUR !
HOURRA

HOURRA! OOON!
UN !...
BOUM

POIL...POIL....POILDUR VIENT DE SE PRÉCIPITER SUR LE GAUCHE DE SON ADVERSAIRE !.... IL VA AU TAPIS ....LE CHOC A ÉTÉ DUR .....MAIS POILDUR SE RELÈVE IMMÉDIATEMENT...

ÇA ME RAPPELLE LE BON VIEUX TEMPS ....

ZZZZZZZZIP

DIS DONC, CONFRÈRE, TU NE CROIS PAS QUE TON AMI POILDUR VA SE FAI-RE MANGER TOUT CRU ?...

T'ES FOU ? IL ATTAQUE TOUT L'TEMPS!

VIVE SPIROU
vive POILDUR

PANCARTES! ON NE VOIT RIEN !

CONTINUE, SPIROU!
POP POP POP
AVANCE POILDUR

vive Poildur
#@!*

....GRÂCE À UN JEU DE JAMBES EXTRAORDINAIREMENT RAPIDE, SPIROU SE TIENT HORS DE PORTÉE DE SON PUISSANT ADVERSAIRE.... POILDUR LANCE UNE DROITE ...QUI N'ARRIVE PAS....SPIROU PLACE UN DIRECT DU GAUCHE À LA FACE ...IL LE DOUBLE...IL TRIPLE !....

MOP MOP MOP MOP

CLONC

BEAU TRAVAIL, SPIROU! ÇA VA TRÈS.... TRÈS BIEN!

MMMM!....

HOURRA! SPIROU, C'EST SPLENDIDE!

'COUTE BIEN, OSCAR: ..SI TU VOIS QUE ÇA VA MAL POUR MOI AU 2me ROUND, VOILÀ C'QUE TU VAS FAIRE,....

..MAINTENANT, CHANGE DE TACTIQUE : ATTAQUE ET PLACE TON DIRECT DU DROIT DÈS QUE TU VOIS UNE OUVERTURE! PAS DE COUPS INUTILES, ET....

STRITCH

..ONC

AH! FAISONS UN PEU DE.... BAGARRE

VAS-Y, SPIROU!

AH! LE BON VIEUX TEMPS...

HOURRA POILDUR!

HOURRA SPIROU!

CONTINUE, SPIROU!

BRAVO!

MOP

SAPRISTI !... EST-CE.. CE N'EST PAS LE MOMENT ?...

Franquin 48   35

NON !....ÇA VA MIEUX .....

...LE ROUND EST ÂPREMENT DISPUTÉ !....POILDUR SE REPREND ET PLACE UN EXCELLENT DOUBLÉ AU CORPS ....MAIS SPIROU RÉTABLIT LA SITUATION GRÂCE À SES DIRECTS DU GAUCHE EXTRÊMEMENT PRÉCIS ...ET... LE VOICI QUI...QUI ATTAQUE À FOND...IL...

PAF

..FAUT QU'IL LE DESCENDE AVANT LE REPOS ! JE VAIS PROLONGER UN PEU LE ROUND...!

HA!HA!HA! IL NE LE TOUCHE PAS! HOU

QU'EST-CE QU'IL PRÉPARE DONC, CE SERPENT-LÀ ?....TIENS, IL VA VERS LE COIN DU CHRONOMÉTREUR ....AH! MAIS ...JÈ COMPRENDS!...

?!?

HHMMM......JUSQU'À PRÉSENT, CECI EST LE MEILLEUR MOMENT DE MA VIE ....

38

POC

AAAOUW
? ? ?

...DROITE DE POILDUR, QUE SPIROU BLOQUE DANS SON GANT.... LE ROUND TOUCHE À SA FIN, ET SPIROU SEMBLE AVOIR RETROUVÉ DE L'ASSURANCE ...IL...IL ENTREPREND MÊME UNE ATTAQUE TRÈS RAPIDE... QUI SURPREND POILDUR....GAUCHE DE POILDUR, IMMÉDIATEMENT CONTRÉ PAR UN GAUCHE-DROITE DE SPIROU....

...TOUT À FAIT MON MATCH CONTRE OLAF-LA-MORUE, À OSLO, EN 1910 !.....

CLANC

!!

JE SUIS SALEMENT EMBÊTÉ ! LE GONG NE TIENT PAS LE COUP, ET JE DOIS LE REMETTRE À LA CUISINE CHEZ MOI !.....

AH! ILS ESSAYENT ENCORE DE TRICHER! BON...BON !

COMMENT TE SENS-TU MAINTENANT, VIEUX ?

HMMM... PARFAITEMENT BIEN !! JE SENS MÊME LA MOUTARDE ME MONTER AU NEZ

À DU 80 À L'HEURE !

....OUI ! JE L'AI RATÉ PARCE QUE J'AI ÉTÉ TROP NERVEUX.....MAIS ATTENDS VOIR...JE M'EN VAIS LUI RENTRER DANS LE CHOU !!....

CLONC

TU ÉTAIS UN PEU TROP PRESSÉ, MON JOLI PETIT POILDUR !

OUI ! J'AI L'INTENTION D'EN FINIR VITE CETTE FOIS-CI !....

LAISSE-MOI AU MOINS LE TEMPS DE TE SOIGNER UN PEU...

Franquin 39

SPIROU FAIT DU CHEVAL

CLAP

?!

C'ÉTAIT BON? ALLEZ... AU REVOIR!...

AÏE! OUI! ÇA VA!... J'AI COMPRIS!

RWARR

DIS... SPIROU... QU'Y AVAIT-IL DANS CE PANIER?...

POUR MOI, NOIX, NOISETTES, AMANDES... ET BEAUCOUP DE CHOCOLAT AU LAIT....

RWAR CRRC LAP LAP

SPIP! SOIS PRUDENT!

CRRC CRRC CRIIC

ROARR

.. AINSI FINIT LE "BAL,".... NOUS N'AURONS MÊME PAS À RAPPORTER LE PANIER ET LE LINGE...

... QU'ATTENDONS-NOUS ICI, ALORS?

CRIC CRIIC CRIC CRIC

OUI! RIEN, AU FOND.

Franquin 3 '49

SPIP! IL EST ENCORE LÀ!!

OUI!... ET IL Y A QUELQUE CHOSE QUI NE TOURNE PAS ROND!.... POUR MOI, IL DIGÈRE MAL....

HIC HOC

... PAS ÉTONNANT! ON N'A PAS IDÉE DE MÉLANGER DU POULET, DU CHOCOLAT ET DE L'OSIER!...

... ET L'ESSUIE-MAIN... ET LA TASSE EN PORCELAINE OÙ J'AVAIS MIS LA COMPOTE!

AOU HIC OUU

VIENS, LÉOPARD... LE VILLAGE EST À 1 KM.... NOUS TE TROUVERONS UNE POUDRE DIGESTIVE CHEZ LE PHARMACIEN....

SPIROU, À TA PLACE, JE LE LAISSERAIS TOMBER

AH! VOICI LE VILLAGE... ...JE ME DEMANDE QUEL EFFET NOUS ALLONS FAIRE AVEC CETTE BESTIOLE!!...

MON DIEU, ARTHUR! LE Mr SPIROU DU SECOND VIENT DE RENTRER AVEC UN FAUVE!...ARTHUR! IL VA FAIRE DE NOTRE MAISON UNE MÉNAGERIE!... ARTH...

AH! OUI?... TIENS!

LE LENDEMAIN MATIN? ALLO!...LE ZOO?... MONSIEUR, VOUDRIEZ-VOUS S.V.P. VÉRIFIER S'IL NE VOUS MANQUE PAS UN LÉOPARD?... J'EN AI TROUVÉ UN HIER, ET JE....

...CO...COMMENT!?.... UN LÉOP...AÏE!AÏE! AÏE!..JE...JE VAIS VOIR!...

JE VAIS VOIR!

UN LÉOPARD ÉCHAPPÉ!... MILLE MILLIONS DE ⊙✱

MILLE MILLIONS!

MILLE MILLIONS DE ⊙✱ #✱?✱✱! DE MILLIONS DE #✱.....

...DE MILLE✱?✱✱ DE MILLIONS DE ✱★?#✱

M...MAIS...MONSIEUR!... VOUS POURRIEZ ÊTRE UN PEU POLI!!/...

MILLE MILLIONS DE MILLIARDS DE ✱#!?

ALLO!...VOUS ÉCOUTEZ, MONSIEUR?.... NON, MONSIEUR, IL NE NOUS MANQUE AUCUN FAUVE. NOUS VOUS REMERCIONS POUR AVOIR TÉLÉPHONÉ....

!?/?!?/?

AVOIR TÉLÉPHONÉ

...PAS AU ZOO..... ET IL N'Y A PAS DE CIRQUE EN VILLE ..... MAIS À QUI POURRAIT-IL, SAPRISTI, APPARTENIR???

OH LÀ LÀ! IL A FAIM!... SPIP, RESTE ICI POUR LE SURVEILLER; MOI, JE COURS CHEZ LE BOUCHER!....

OARR

JAMAIS DE LA VIE!

FROUSSARD!.... AU FOND, CE N'EST QU'UN GROS CHAT!

OUAIS! ..ET MOI, UNE GROSSE SOURIS

Mr LE BOUCHER, JE VOUDRAIS UN REPAS COPIEUX POUR UN LÉOPARD....

POUR UN QUOI?

...CURIEUX DE VOIR CE QUE DEVIENT CE VIEUX SPIROU.... IL Y A BIEN DEUX SEMAINES QUE JE NE L'AI VU....

...HÉLAS ! LA GUERRE, TOUJOURS ELLE, FAIT DE MON BEAU PETIT EMPIRE UNE VRAIE FOURNAISE !... JE VAIS VOUS EXPLIQUER CELA À L'AIDE DE LA CARTE.....

L'ÎLE DE LILIPANGA EST SITUÉE À 60 KM DE LA CÔTE AFRICAINE, À LA HAUTEUR DE L'EMBOUCHURE DU FLEUVE CONGO.....

...VOICI UNE CARTE DÉTAILLÉE DE L'ÎLE ELLE-MÊME...SACHEZ TOUT D'ABORD QU'ELLE EST HABITÉE PAR DEUX TRIBUS DE PYGMÉES QUI, CHOSE CURIEUSE, DIFFÈRENT PAR LA COULEUR DE LA PEAU !...

TIENS !

....DANS LA PLAINE, À L'OUEST DU FLEUVE PANGA, VIVENT LES LILIPANGUS ; BRUNS DE PEAU, ILS SONT ÉLEVEURS DE BÉTAIL ET CULTIVATEURS. C'EST DANS LA PLAINE QUE J'AI MA CAPITALE, LILIPANGA, 237 HABITANTS,...VOUS VOYEZ, EN VERT SUR LA CARTE, LA FORÊT QUI COUVRE LE RESTE DE L'ÎLE, JUSQU'AUX FLANCS DU MONT LILIPANGO, C'EST LE DOMAINE DES LILIPANGUÉS ! FAROUCHES CHASSEURS À PEAU NOIRE, ILS SONT ENNEMIS MORTELS DE MES LILIPANGUS !... BIEN QUE LES DEUX TRIBUS PARLENT LA MÊME LANGUE ET OBSERVENT PAS MAL DE TRADITIONS COMMUNES, LES BRUNS MÉPRISENT LES NOIRS COMME UNE RACE INFÉRIEURE.......

...EN REVANCHE, LES NOIRS LES DÉTESTENT, ET C'EST UNE GUERRE PERPÉTUELLE ! QUAND LA CHASSE EST MAUVAISE, LES NOIRS FONT DES INCURSIONS DANS LA PLAINE, RAFLENT LE BÉTAIL, PILLENT RÉCOLTES ET VILLAGES ! PAR MESURE DE REPRÉSAILLES, LES BRUNS ALLUMENT DES INCENDIES DE FORÊT ET ESSAYENT DE DÉTRUIRE LE GIBIER DONT VIVENT LES NOIRS !.... J'AI TOUT FAIT, MESSIEURS, POUR QU'ILS VIVENT EN BONNE ENTENTE ! MAIS LE MAL EST PLUS FORT QUE MOI ! MES ÉMISSAIRES SE FONT ROSSER ! L'ACCÈS DE LA FORÊT M'EST INTERDIT ! JE SUIS SEUL DEVANT UNE TÂCHE QUI ...

...MAIS, AU FAIT ! VOTRE EXPÉRIENCE DES CHOSES AFRICAINES POURRAIT ME SERVIR BEAUCOUP ! QUE DIRIEZ-VOUS D'UN PETIT VOYAGE À...?

SPLENDIDE !

CE SOIR MÊME !

CE SOIR-LÀ..

.....DONC, MON CHER SPIROU, VOUS VOICI MINISTRE DE L'ORDRE INTÉRIEUR DE LILIPANGA ! ET VOUS, CHER MONSIEUR FANTASIO, SECRÉTAIRE DU MINISTRE.....VENEZ DONC ME VOIR DEMAIN , NOUS METTRONS AU POINT LE PRÉPARATIFS ...JE RETOURNE LÀ-BAS DANS UNE SEMAINE ... À VOTRE SANTÉ !

A LA VÔTRE !... ET AU BONHEUR DES LILIPANGUS

JE VOUS CONFIE LE MANUSCRIT DE MA MÉTHODE "LE LILIPANGU SANS PEINE", J'AI AUSSI ENREGISTRÉ QUELQUES DISQUES... VOUS SEREZ VITE AU COURANT, LA GRAMMAIRE TIENT EN UNE PAGE !

Franquin 49

MONSIEUR, VOTRE PROPOSITION NOUS A COMBLÉS DE JOIE !...

TANT MIEUX ! BON RETOUR, ET À DEMAIN !

TRALALA! LA!

MON CHER MINISTRE, JE PARIE QUE JE PEUX CHANTER PLUS FORT QUE VOUS !

KIIIK

LISEZ LE MOUSTIQUE

8 JOURS PLUS TARD

BON VOYAGE !...

...ET RESTEZ CHEZ LES SAUVAGES !

AU REVOIR, MME PINSON

HÉ... PSSST... JEUNES GENS...

?

?

HEU...BONNE CHANCE !....

MERCI, Mr PINSON !

JE SUIVRAI VOTRE BEAU VOYAGE SUR MA CARTE D'ASIE....

ARTHUR ! VOUS ÊTES DEHORS EN PANTOUFLES

!!!

OUI, HORTENSE

VÉNÉRABLE SAGE, COMMENT S'ENTENDENT LES DEUX TRIBUS, DE CES TEMPS-CI ?

COMME LE SERPENT ET LE LÉOPARD, Ô GRAND CHEF !

MAIS, DEPUIS LE TEMPS QU'ELLES SONT EN GUERRE, COMMENT LES DEUX TRIBUS NE SE SONT-ELLES PAS ENCORE EXTERMINÉES ?!?

COMMENT ! J'AI OUBLIÉ DE VOUS EXPLIQUER ÇA ?!... EH BIEN, VOILÀ :...

...PAR BONHEUR, UNE VIEILLE LOI SACRÉE INTERDIT À TOUT PYGMÉE DE **TUER** UN AUTRE PYGMÉE, SOUS PEINE DES PIRES CHÂTIMENTS DANS L'AU-DELÀ ! RÉSULTAT, ILS SE BATTENT AVEC DES ARMES COMME CELLES-CI... CE QUI NE LES EMPÊCHE PAS DE REVENIR PARFOIS SÉRIEUSEMENT AMOCHÉS !...

LES ARMES TERRIBLES QUE VOUS VOYEZ ICI SONT EMPLOYÉES CONTRE LES ANIMAUX FÉROCES, LÉOPARDS, LIONS, CROCODILES...ETC, QUI SONT NOMBREUX DANS L'ÎLE, ET DANGEREUX POUR LE BÉTAIL ....

EN L'HONNEUR DES CHEFS BLANCS, IL Y AURA UN GRAND **CONJO** APRÈS LE REPAS !...... PRÉPAREZ TOUT !... ORCHESTRE DES GRANDS JOURS !... BEAUCOUP DE VIN DE PALME !...

VITE, NANA ! FAIS MA COIFFURE ! IL Y A UN GRAND CONJO CE SOIR ! IL FAUT QUE LA PRINCESSE UMBILLA AIT LA PLUS BELLE TÊTE DE TOUTE LA VILLE !!

OUI, PRINCESSE

LE CHEF BLANC DÉSIRE-T-IL DU RAT À LA CONFITURE ?

NON MERCI, JE GOÛTERAI DE LA POITRINE DE PÉLICAN...

OUI ! LE SINGE RÔTI EST VRAIMENT SUPÉRIEUR !

COMMENCEZ LE GRAND **CONJO**

DOUGOU DOUM DOUGOU DOUM DOUGOU DOUM DOUGOU DOUM

BOUM BROUM DOUM BOUM BROUM DOUM

TUÛT

VITE, NANA ! LA FÊTE EST DÉJÀ COMMENCÉE !!

NE BOUGE PAS, PRINCESSE....

BOUM BOUM TUÛT

BOUM BROUM DOUM BOUM BROUM

VOICI LEUR GRANDE DANSE DE GUERRE !

...LÀ ! TU VAS RESTER ICI BIEN SAGEMENT ! VOICI DES BANANES, ET TU PEUX REGARDER LA DANSE.....LÀ !...SAGE !

LA FÊTE SE PROLONGEA JUSQUE FORT TARD DANS LA SOIRÉE

TAM TOM TOM

MAIS À MINUIT, À L'AUTRE EXTRÉMITÉ DE L'ÎLE, EN UN POINT DU RIVAGE DU TERRITOIRE, HOSTILE....

VOICI L'ARGENT...QUE MES CAISSES SOIENT DÉBARQUÉES...SANS BRUIT

TRRIII TRRIII TRRIII

ET CHEZ LES PYGMÉES NOIRS DE LA FORÊT...

AÏE ! LE SIGNAL DU CHEF BLANC ! IL EST REVENU

18

HÉ BIEN, QUOI ? VOUS ÊTES SOURDS ?! J'AI SIFFLÉ AU MOINS DIX FOIS !!

TOI PORTE CETTE VALISE !....LES AUTRES, LES CAISSES ...ET VITE !

UN PEU DE VIGUEUR ! IL Y A DANS CES CAISSES DE QUOI VAINCRE VOS ENNEMIS !

...ET FAIRE DE MOI LE MAÎTRE ABSOLU DE CETTE ÎLE AVEC SES RICHESSES !...

LE LENDEMAIN, AU VILLAGE DES BRUNS...

...OUI ! FAISONS UN AUTRE ESSAI, ET RÉDIGEONS UNE PROCLAMATION AUX NOIRS POUR LES INCITER À LA PAIX..

C'EST MON AFFAIRE, JE SUIS JOURNALISTE...DISONS: CHERS LILIPANGUÉS

NOBLES LILIPANGUÉS ....

MAIS UN NOUVEAU DRAME SE PRÉPARE

62

HEU....TU SAIS, MUCHAFU, ON A BEAUCOUP MANGÉ, HIER, AU FESTIN.....LES PROVISIONS DE GIBIER ONT PRIS UN SALE COUP......

....OUI, PANDUJI, MALHEUREUSEMENT, LA CHASSE EST MAUVAISE DANS LA PLAINE, DE CES JOURS-CI, ET .....

..OUI!ET POUR COMBLE DE MALCHANCE, LES SINGES LES PLUS SAVOUREUX HABITENT LA FORÊT ......

...DOMAINE DE CES MAUDITS NOIRS.....FAISONS UNE PETITE PROMENADE, PANDUJI....

IL FAUT PASSER LA RIVIÈRE SANS SE FAIRE REMARQUER...

NOUS Y SOMMES !

CHHUT!

L'ESSENTIEL, POUR LA CHASSE AU SINGE, MUCHAFU, C'EST DE VOIR SANS ÊTRE VU !

EXACT

TU NE TROUVES PAS QUE CE QUI EST DÉFENDU À SOUVENT UN CERTAIN CHARME ?...

AÏE! NOUS SOMMES DÉCOUVERTS !!

ZZZIP

BONG

MAIS LE BRUIT RÉVEILLE UN VIEUX LION QUI FAISAIT SA SIESTE NON LOIN DE LÀ....

AR?

AÏE AÏE AÏE!

UN LION !

ARR?

UN LION !

FILONS!....C'EST UNE CHANCE !....

...OUI...À MOINS DE TOMBER SUR LE LION AVANT D'ÊTRE AU FLEUVE !....

OUF! NOUS Y SOMMES! DANS NOTRE MALHEUR, NOUS AVONS EU DE LA CHANCE !

PLOUF

PLOUF

!

AïE

PANG

AF'49 20

.HEU...ON S'EST ÉGARÉS ....

OUAIS ! VOUS AVEZ TRANSGRESSÉ LA LOI QUI INTERDIT D'ALLER DANS LA FORÊT ! UNE SEMAINE DE PRISON !

MAIS...
...HEU...MON CHER MINISTRE...

...C'EST QUE....HEU...NOUS N'AVONS PAS DE PRISON, ICI !....

HA IL N'Y A PAS DE PRISON ! EH BIEN, VOUS EN CONSTRUIREZ UNE ! ...EN PIERRE !

JE SAIS QUE C'EST UN PEU DUR, MON CHER EMPEREUR, MAIS IL FAUT À TOUT PRIX FAIRE RESPECTER CETTE LOI !

VOUS AVEZ RAISON, MON CHER MINISTRE !

HUM...JE CROIS QU'ILS ONT ÉTÉ ASSEZ PUNIS ....

POUVEZ FILER ...NOUS ESSAYERONS DE NOUS PASSER DE PRISON ....

MISSIÉ MINIS ! MISSIÉ MINIS !

LES...LES NOIRS ONT ATTAQUÉ LE VILLAGE DE PAN-PAN ! 10 MAISONS ONT BRÛLÉ !....ILS ONT TUÉ 15 VACHES, EMPORTÉ 22 COCHONS DE LAIT ET LES JAMBONS DE 3 AUTRES COCHONS, QUI SONT DANS UN ÉTAT DÉSESPÉRÉ !....

TU AS ENTENDU, MUCHAFU !...ET TOUT ÇA, C'EST DE NOTRE FAUTE !!

EN AVANT, FANTASIO ! NOUS PARTONS EN EXPLORATION DANS LA FORÊT ! JE TIENS À VOIR CES NOIRS DE PRÈS !...

CETTE NUIT-LÀ, ILS TRAVERSÈRENT L'EAU SANS ACCIDENT.....

LE LENDEMAIN CHEZ LES NOIRS

HMM...ILS SONT TRÈS EXCITÉS CONTRE LES BRUNS...C'EST LE MOMENT D'OUVRIR CES CAISSES !

21

VAILLANTS LILIPANGUÉS, VENEZ VOIR LE CADEAU DU CHEF BLANC ! IL VOUS DONNERA LA VICTOIRE SUR VOS MÉPRISABLES ENNEMIS BRUNS !...

...JE VAIS VOUS MONTRER... REGARDEZ LE PALMIER, LÀ-BAS...

PAN

OH ! LA, LA ! SI ON FAIT UN TROU COMME ÇA DANS UN PYGMÉE ON PEUT PRÉPARER SES FUNÉRAILLES ! LE CADEAU DU CHEF BLANC EST UN SALE TRUC ! ET CONTRE LA LOI SACRÉE !

MAIS NON, MAIS NON !.... HEU... C'EST INOFFENSIF... ...ABSOLUMENT INOFF....

ALORS, JE VAIS FAIRE UN TROU INOFFENSIF DANS LE GROS VENTRE DU CHEF BLANC !

NON ! AÏE ! LÂCHEZ ÇA !

LE CHEF BLANC NOUS PREND POUR DES IMBÉCILES !

AU MÊME MOMENT...

VOICI L'EAU...ÇA NOUS RÉVEILLERA !

NOUS AURIONS DU EMPORTER UN RÉVEIL, FANTASIO ! NOUS AVONS DORMI BIEN LONGT...HÉ ! QU'EST-CE QUE CE CHAHUT ?

AÏE CRRII GRRR

VITE ! ON DIRAIT UN GOSSE QUI PLEURE !

AÏE BEEE GR

GRRR

Bing

22

HELLO, MON P'TIT VIEUX ! LÈVE-TOI, LE DANGER EST PASSÉ !....

DES BLANCS !

AÏE AÏE AÏE ! J'AVAIS MOINS PEUR DU SINGE !

POURQUOI AS-TU PEUR ? NOUS SOMMES DES AMIS !

BIEN VRAI ?...LE CHEF BLANC, LUI, IL EST TRÈS MAUVAIS !...IL A UNE VOIX TERRIBLE, IL FRAPPE, ET IL ENVOIE TOUJOURS LES PYGMÉES FAIRE LA GUERRE DANS LA PLAINE !.....

FANTASIO ! TU COMPRENDS ?... IL DOIT Y AVOIR UNE SORTE DE DICTATEUR BLANC CHEZ EUX ! ÇA EXPLIQUE BIEN DES CHOSES !!

AU CAMP
DIS, QU'EST-CE QU'IL FAIT LÀ ?...
IL SE LAVE, TIENS !... QUELLE QUESTION !

ET ÇA ? QU'EST-CE QUE C'EST ?... ÇA DOIT ÊTRE BON ! JE VAIS TOUJOURS MORDRE UN COUP DEDANS....

BÊÊÊÊ !
MAUVAIS ! C'EST MAUVAIS

C'EST ÉVIDENT, ÇA !.....A-T-ON IDÉE DE MANGER DU SAVON, VOYONS ! VIENS, JE VAIS TE MONTRER COMMENT ON S'EN SERT !

...ALORS ON ESSUIE, ET... OH !.. FANTASIO ! VIENS VITE VOIR !

REGARDE !.... LES **NOIRS** NE SONT PAS NOIRS ! ....CE SONT DES **BRUNS**...QUI NE SE SONT JAMAIS **LAVÉS** ! TU COMPRENDS ?...
NON

BÉÊÀÀ

ALLONS VITE DIRE ÇA À L'EMPEREUR !....CETTE GUERRE SERA FINIE DANS 3 JOURS....IL S'AGIT SIMPLEMENT DE LAVER TOUS LES NOIRS !...

MAGNIFIQUE ! SPLENDIDE, VOTRE TROUVAILLE !... J'AI JUSTEMENT UNE FORTE RÉSERVE DE SAVON DE MARSEILLE....

...C'EST BIEN COMPRIS ! VOUS SACCAGEZ ET PILLEZ LE VILLAGE !...SOYEZ FÉROCES...GRRR ..EN AVANT..HHARCHE !

UNE DEUX ! UNE DEUX !
PENDANT CE TEMPS, JE VAIS METTRE AU POINT LE PLAN DE L'OFFENSIVE GÉNÉRALE !...

MAIS UNE AUTRE OFFENSIVE SE PRÉPARE...
UNE DEUX...UNE DEUX !

FANTASIOOO ! AU TRAVAIL, MON VIEUX ! LES PREMIERS CLIENTS SONT ARRIVÉS !

VENEZ, LES ENFANTS ! MAMAN VA VOUS DONNER UN BON BAIN !...

FLOP

NE TRAÎNONS PAS, FANTASIO ! LE NOMBRE DE GUERRIERS EST ESTIMÉ À PRÈS DE 300 !

SAVON

SAVON

NON LOIN DE LÀ...

? !

HA ! ALLONS AJOUTER CE JOLI PAPILLON À NOTRE COLLECTION !

24

OUF ! QUEL BOULOT !

ILS SONT TOUT À FAIT COMME LES MIENS !...

BON TRAVAIL ! VOYONS L'EFFET, MAINTENANT...

MAIS.. TU ES BRUN !...

NOUS SOMMES TOUS BRUNS !

DITES-MOI VITE ! EST-CE QUE LE BRUN ME VA BIEN ?

RENTRONS VITE !

IMPOSSIBLE, SI LES....

...SI LES AUTRES NOUS VOIENT, ILS NOUS PRENDRONT POUR DES ENNEMIS ET... AÏE AÏE !

IL A RAISON ! IL FAUT ALLER DANS LA PLAINE !

PARFAIT ! BRAVO ! C'EST EXACTEMENT CE QU'IL FAUT !

HOLA, SPIROU ! JE CROIS QUE LA TRAPPE SE REMPLIT !

QUE LES NOUVEAUX LILIPANGUS SOIENT LES BIENVENUS !!

MAINTENANT QUE NOUS SOMMES DANS LA PLAINE, FAUT ÊTRE PRUDENTS ! ATTENDEZ-MOI ICI, JE VAIS EN RECONNAISSANCE...

AÏE ! VOILÀ DEUX LILIPANGUS !... AÏE AÏE AÏE !

BONJOUR !

TIENS !? QUI EST-CE ?

B.B. BONJOUR !

JE N'AI JAMAIS VU CE ZÈBRE-LÀ, MOI ! ET TOI IL A UN AIR BIZARRE.... ON DIRAIT QU'IL A PEUR DE NOUS !...

OUI ! C'EST LOUCHE ! JE PARIE QUE C'EST UN TYPE DE LA 5ᵉ COLONNE !.. C'EST ÇA !... C'EST UN NOIR PEINT EN BRUN !...

...IL Y A UN MOYEN DE S'EN ASSURER...

FINIE, LA PETITE COMÉDIE !

25

26

HA ! VOUS VOULIEZ QUE LES PYGMÉES SE BATTENT AVEC DES FUSILS !/...

NE VALAIT-IL PAS MIEUX LEUR APPRENDRE À SE LAVER ?

PLUS TARD, DANS LA PLAINE...

...C'ÉTAIT LE SEUL BANDIT DE VOTRE ÎLE ! QUAND IL SERA REMIS À LA JUSTICE, VOUS DÉTRUIREZ CETTE VILAINE PRISON !

MAIS IL Y A ENCORE UN TRAVAIL À FAIRE.... RASSEMBLEMENT DES DAMES ET DES DEMOISELLES DEVANT LA RÉSERVE !

...DONC, VOUS ALLEZ DANS LA FORÊT DONNER UN BON BAIN À VOS SŒURS QUI SONT ENCORE NOIRES ! ET VOUS LES RAMENEZ DANS LA PLAINE POUR LA GRANDE FÊTE DE LA PAIX !

SAVON

MMM...C'EST ÇA, MON VIEUX ! SOIS BIEN AIMABLE AVEC L'ÉCUREUIL DU MINISTRE !

MISSIÉ L'EMPEREUR !

?

T..T..TÉLÉ...GRAMME... PFFF....POUR MESSIEURS SPPPFIROU.....ET... FF... FFANTASIO ....PFEF !

HO ! HO ! LE PATRON !...'PRIÈRE VOUS PRÉSENTER URGENCE EN NOS BUREAUX. DUPUIS''

ÇA VA MIEUX ?

GLOU GLOU

ET APRÈS LES ADIEUX...

À L'AVION !.... ET OÙ EST LE FACTEUR ? NOUS ALLONS LE RECONDUIRE....

VOUS PARTEZ ? VOULEZ-VOUS METTRE CECI À LA POSTE ? C'EST MA DÉMISSION...

AU REVOIR, LILIPANGA !

FIN

choisis les albums
de tes personnages préférés
dans nos autres collections
en vente dans
toutes les librairies

GIL JOURDAN
tillieux

N. 1 Libellule s'évade
N. 2 Popaïne et Vieux Tableaux
N. 3 La Voiture immergée
N. 4 Les Cargos du Crépuscule
N. 5 L'Enfer de Xique-Xique
N. 6 Surboum sur 4 Roues
N. 7 Les Moines Rouges
N. 8 Les 3 Taches
N. 9 Le Gant à 3 Doigts
N. 10 Le Chinois à 2 Roues
N. 11 Chaud et Froid
N. 12 Pâtée explosive
N. 13 Carats en vrac
N. 14 Gil Jourdan et les Fantômes
N. 15 Sur la Piste d'un 33 Tours

HULTRASSON
vittorio · tillieux

N. 4 L'Eau de Politesse

JOHAN et PIRLOUIT
peyo

N. 1 Le Châtiment de Basenhau
N. 2 Le Maître de Roucybeuf
N. 3 Le Lutin du Bois aux Roches
N. 4 La Pierre de Lune
N. 5 Le Serment des Vikings
N. 6 La Source des Dieux
N. 7 La Flèche Noire
N. 8 Le Sire de Montrésor
N. 9 La Flûte à Six Schtroumpfs
N. 10 La Guerre des 7 Fontaines
N. 11 L'Anneau des Castellac
N. 12 Le Pays Maudit
N. 13 Le Sortilège de Maltrochu

KHÉNA et le SCRAMEUSTACHE
gos

N. 1 L'Héritier de l'Inca
N. 2 Le Magicien de la Grande Ourse

LUCKY LUKE
morris

N. 1 La Mine d'Or de Dick Digger
N. 2 Rodéo
N. 3 Arizona
N. 4 Sous le Ciel de l'Ouest
N. 5 Lucky Luke contre Pat Poker
N. 6 Hors-la-Loi
N. 7 L'Elixir du Docteur Doxey
N. 8 Lucky Luke contre Phil Defer
N. 9 Des Rails sur la Prairie
N. 10 Alerte aux Pieds Bleus
N. 11 Lucky Luke contre Joss Jamon
N. 12 Les Cousins Dalton
N. 13 Le Juge
N. 14 Ruée sur l'Oklahoma
N. 15 L'Evasion des Dalton
N. 16 En remontant le Mississippi
N. 17 Sur la Piste des Dalton
N. 18 A l'Ombre des Derricks
N. 19 Les Rivaux de Painful-Gulch
N. 20 Billy The Kid
N. 21 Les Collines noires
N. 22 Les Dalton dans le Blizzard
N. 23 Les Dalton courent toujours
N. 24 La Caravane
N. 25 La Ville Fantôme
N. 26 Les Dalton se rachètent
N. 27 Le 20e de Cavalerie
N. 28 L'Escorte
N. 29 Des Barbelés sur la Prairie
N. 30 Calamity Jane
N. 31 Tortillas pour les Dalton

MARC LEBUT
francis · tillieux

N. 1 Allegro Ford T
N. 2 L'Homme des Vieux
N. 3 Balade en Ford T
N. 4 Voisin et Ford T
N. 5 La Ford T dans le Vent
N. 6 La Ford T gagne
N. 7 La Ford T en vadrouille
N. 8 Ford T antipollution
N. 9 La Ford T en Vacances

NATACHA
walthéry

N. 1 Natacha, Hôtesse de l'Air
N. 2 Natacha et le Maharadjah
N. 3 La Mémoire de Métal

L'HISTOIRE en bandes dessinées

N. 1 L'Epopée sanglante du Far West
N. 2 Les Mystérieux Chevaliers du Ciel

les PETITS HOMMES
seron · hao

N. 1 L'Exode
N. 2 Les Petits Hommes au Brontoxique

SAMMY
berck · cauvin

N. 1 Les Gorilles
N. 2 Rhum Row
N. 3 El Presidente
N. 4 Les Gorilles marquent des Poings

les SCHTROUMPFS
peyo

N. 1 Les Schtroumpfs Noirs
N. 2 Le Schtroumpfissime
N. 3 La Schtroumpfette
N. 4 L'Œuf et les Schtroumpfs
N. 5 Les Schtroumpfs et le Cracoucass
N. 6 Le Cosmoschtroumpf
N. 7 L'Apprenti Schtroumpf
N. 8 Histoires de Schtroumpfs
N. 9 Schtroumpf vert et Vert Schtroumpf

SOPHIE
jidéhem

N. 4 Qui a fait peur à Zoé
N. 5 Sophie et le Rayon Kâ
N. 6 La Maison d'en Face
N. 7 Sophie et le Cube qui parle
N. 8 Les Bonheurs de Sophie (2e série)
N. 9 Sophie et la Tiare de Matlotl Halatomatl
N. 10 Sophie et le Douanier Rousseau

SIBYLLINE
macherot

N. 1 Sibylline et la Betterave
N. 2 Sibylline en Danger
N. 3 Sibylline et les Abeilles
N. 4 Sibylline et le petit Cirque

les aventures de SPIROU
franquin

N. 1 Quatre Aventures de Spirou et Fantasio
N. 2 Il y a un Sorcier à Champignac
N. 3 Les Chapeaux Noirs
N. 4 Spirou et les Héritiers
N. 5 Les Voleurs du Marsupilami
N. 6 La Corne du Rhinocéros
N. 7 Le Dictateur et le Champignon
N. 8 La Mauvaise Tête
N. 9 Le Repaire de la Murène
N. 10 Les Pirates du Silence
N. 11 Le Gorille a Bonne Mine
N. 12 Le Nid des Marsupilamis
N. 13 Le Voyageur du Mésozoïque
N. 14 Le Prisonnier du Bouddha
N. 15 Z comme Zorgblub
N. 16 L'Ombre du « Z »
N. 17 Spirou et les Hommes-Bulles
N. 18 QRN sur Bretzelburg
N. 19 Panade à Champignac
N. 24 Tembo Tabou

fournier
N. 20 Le Faiseur d'Or
N. 21 Du Glucose pour Noémie
N. 22 L'Abbaye truquée
N. 23 Toratorapa
N. 25 Le Gri-Gri du Niokolo-Koba

TIF et TONDU
will · tillieux

N. 17 Tif et Tondu contre le Cobra
N. 18 Le Roc Maudit
N. 19 Sorti des Abîmes
N. 20 Les Ressuscités
N. 21 Le Scaphandrier mort

les TUNIQUES BLEUES
salverius · cauvin

N. 1 Un Chariot dans l'Ouest
N. 2 Du Nord au Sud
N. 3 Et pour 1.500 $ en plus
N. 4 Outlaw

lambil · cauvin
N. 5 Les Déserteurs

VIEUX NICK
remacle

N. 5 Les Mutinés de la « Sémillante »
N. 9 L'Or du « El Terrible »
N. 10 Le Trois-Mâts fantôme
N. 11 Les Boucaniers
N. 12 Barbe-Noire et les Indiens
N. 13 Les Mésaventures de Barbe-Noire
N. 14 Les Commandos du Roy
N. 15 Barbe-Noire Aubergiste
N. 16 La Prise de Canapêche
N. 17 Barbe-Noire joue et perd
N. 18 Le Feu de la Colère

YOKO TSUNO
leloup

N. 1 Le Trio de l'Etrange
N. 2 L'Orgue du Diable
N. 3 La Forge de Vulcain
N. 4 Aventures électroniques